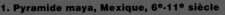

1. **Pyramide maya, Mexique, 6e-11e siècle**
2. **Ziggourat, Mésopotamie, 6e siècle av. J.-C.**
3. **Temple indien, 17e siècle**
4. **Angkor Vat, Cambodge, 12e siècle**

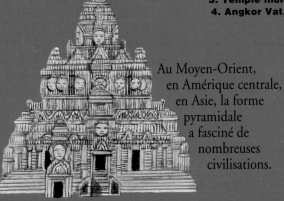

Au Moyen-Orient, en Amérique centrale, en Asie, la forme pyramidale a fasciné de nombreuses civilisations.

Une forme parfaite

Les Egyptiens savaient réussir ce tour de force d'assembler des blocs de 3 tonnes avec des jointures qui ne dépassaient pas un millimètre d'épaisseur ! La pyramide presque achevée ressemblait à un immense escalier. Elle était alors revêtue d'un manteau de calcaire d'un blanc étincelant qui, plus tard, a souvent été volé par morceaux. Le poids de la pyramide de Kheops, considérée comme l'une des Sept Merveilles du monde (la seule encore existante aujourd'hui), est estimé à près de 6 millions de tonnes, alors que la pyramide du Louvre ne pèse que 180 tonnes.

a. La première pyramide fut bâtie vers 2700 avant J.-C. par l'Egyptien Imhotep*. b. Ieoh Ming Peï* a conçu la pyramide du Louvre.

Du verre, de l'acier

La structure de la pyramide du Louvre, 95 tonnes d'acier, est inspirée de la construction des bateaux de course. Sa structure est tenue par des câbles comme des haubans de navires. Pour que l'édifice soit le plus transparent possible, un verre spécial a été inventé pour la circonstance.

Voyages de pierres

Dans les carrières égyptiennes, les blocs étaient arrachés à la roche grâce à des coins de bois enfoncés dans la pierre et sur lesquels de l'eau était versée. Le bois gonflait et faisait éclater la roche, débitée ensuite avec des outils de cuivre. Le transport des pierres représentait le plus gros du travail et se faisait grâce à des bateaux sur le Nil, de préférence pendant la période de crue du fleuve.

Suer, tirer, hisser

Les ouvriers halaient les blocs installés sur des traîneaux. De l'eau était versée pour faciliter leur glissement sur le sol. Pour empiler les blocs et élever la pyramide, ils hissaient leur chargement sur des rampes de briques. Il fallait environ 70 hommes pour tirer un bloc de 2,5 tonnes. Ce dur travail provoquait chez les ouvriers de graves maladies de la colonne vertébrale.

Cabanes du monde

Boue, fougères, bouse de vache, glace, tissu... De la préhistoire

à nos jours, des peuples ont su, avec peu de moyens, utiliser un vaste

éventail de matériaux pour construire les cabanes qui protègent du froid, de la chaleur,

des animaux sauvages. Les premiers hommes possédaient des outils rudimentaires.

Les végétaux offraient un matériel facile à utiliser : non pas

l'arbre lui-même, qui réclame de vrais instruments, mais les

branchages, qui peuvent être cassés, tressés à la main.

Ainsi, avec des **joncs** cueillis au bord de la rivière,

une structure en forme de cloche est dressée.

Les murs sont faits d'herbes sèches et d'argile.

Un morceau d'**écorce** ferme la porte.

En quelques heures, la

maison est construite.

▲
Les constructions réalisées par
les oiseaux ont peut-être inspiré les
hommes. En haut, un nid de tisserin.

4

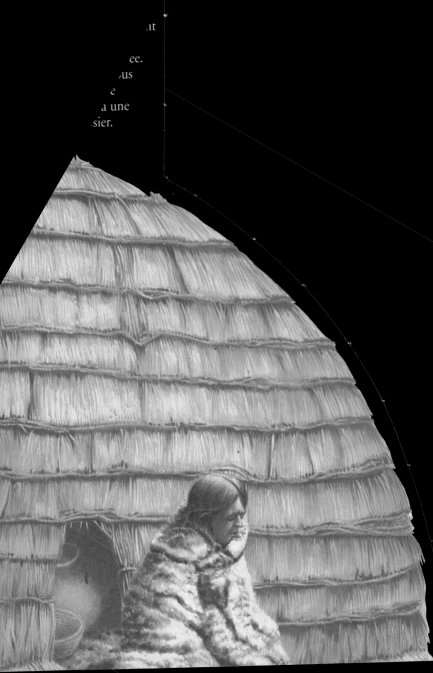

le
un
une g
de l'an
expéditi
la neige es
le seul maté
par les Esqui
pour fabriquer

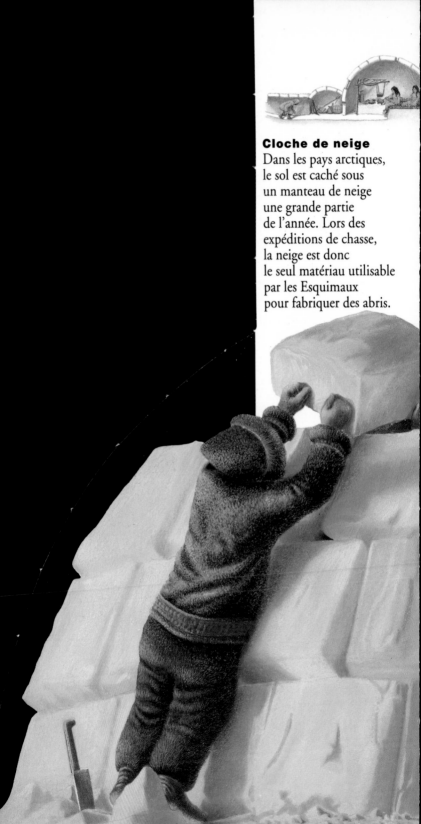

Cloche de neige
Dans les pays arctiques,
le sol est caché sous
un manteau de neige
une grande partie
de l'année. Lors des
expéditions de chasse,
la neige est donc
le seul matériau utilisable
par les Esquimaux
pour fabriquer des abris.

Au temps de la préhistoire, dans les régions où le bois était rare, de grands os de mammouth constituaient l'armature des huttes.

Cloche de paille
Les Indiens des Etats-Unis ne confectionnaient pas tous les fameuses tentes appelées teepee. La cabane des tribus Paiutes était faite de paille fixée à une structure d'osier.

Cloche de feutre

En Asie centrale,
les yourtes sont faites
de feutre : une étoffe
qui n'est pas tissée mais
fabriquée en foulant
au pied de la laine de
mouton ou de chameau.
Le feutre est fixé sur
un treillis de bois et
tenu par des lanières
de cuir ou de crin
de cheval.

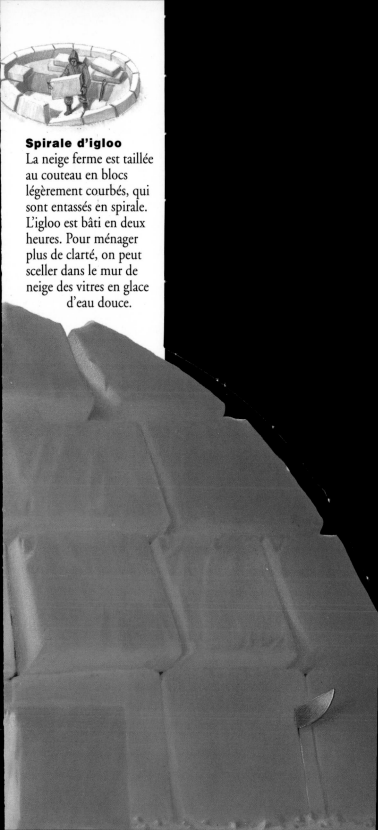

Spirale d'igloo

La neige ferme est taillée au couteau en blocs légèrement courbés, qui sont entassés en spirale. L'igloo est bâti en deux heures. Pour ménager plus de clarté, on peut sceller dans le mur de neige des vitres en glace d'eau douce.

Premières maisons européennes bâties ▶
il y a 6 000 ans. Les toutes premières
cabanes de branches datent, elles,
de plus de 300 000 ans !

Yourtes de roi

De nos jours, les yourtes
sont démontables. Jadis,
à la cour des khans, en
Mongolie, elles étaient
transportées sur de larges
chariots tirés par des
bœufs. Deux cents chariots
pouvaient former
le cortège de chacune
des épouses
d'un roi !

Premières maisons

Les cabanes ont peu
à peu été remplacées
par de véritables maisons
lorsque les hommes ont
abandonné leur vie de
bergers nomades pour
devenir sédentaires et
vivre de l'agriculture. La
construction d'habitations
permanentes a débuté
il y a environ 10 000 ans,
de la Palestine à la
Mésopotamie, dans
ces régions qui furent
le berceau
de grandes
civilisations.

En Europe

Il y a quelque 6 000 ans,
les premières maisons
européennes se sont
élevées à leur tour :
de longues maisons
(jusqu'à 20 mètres),
bâties grâce à des haches
de pierre polie.
Des pieux de bois
étaient enfoncés dans
le sol pour supporter
la charpente du toit.
Les espaces entre
les pieux étaient
garnis de clayonnages :
des branches entrelacées
de baguettes, recouvertes
d'argile malaxée
avec de la paille
et de la bouse,
un mélange qui
ne se craquelait
pas en séchant.

Tente d'Indien (teepe
en peau de bison

Maison sur pilotis
de Mélanésie

Cabane construite
par un pêcheur anglais

Des colonnes de marbre

En Grèce, les ruines de grands temples antiques subsistent encore. Dans le ciel bleu de Méditerranée se dressent de puissantes colonnes de marbre surmontées de poutres. Ce principe simple de construction a traversé le temps. La **structure*** équilibrée, parfaitement calculée de ces édifices a su résister aux forces de la nature. Grâce à leurs méthodes de construction, la perfection de leurs assemblages de pierres, sans aucun mortier, la beauté de leurs marbres laiteux, émaillés de cristaux brillants, les Grecs ont su bâtir, pour honorer leurs dieux, des temples aux volumes harmonieux.

Des machines de levage hissent les blocs de pierre sur les bateaux.

Temples de bois
Les premiers temples grecs ont été bâtis en bois.

Les poteaux étaient faits de troncs d'arbre trapus. Ils reposaient sur de la pierre pour empêcher que l'humidité du sol ne fasse pourrir leur base. A partir de 600 avant J.-C., la pierre, plus durable, plus noble, a remplacé le bois.

Peu à peu, le plan des temples s'est compliqué...

Un écrin pour Athéna

Le Parthénon, temple dédié à la déesse Athéna,

est l'un des monuments les plus célèbres du monde. Une statue géante de la déesse, faite d'or et d'ivoire, réalisée par le sculpteur Phidias*, était placée à l'intérieur. Cette œuvre a aujourd'hui disparu.

... Les colonnes se sont alors multipliées.

1

Blocs et colonnes

Les colonnes sont faites de plusieurs tambours, superposés exactement l'un sur l'autre grâce à une tige de bronze intérieure. Pour leur donner plus d'élégance, les fûts sont sculptés de fines cannelures.

2

**1. Taille d'une colonne
2. Tambours de colonne avec leur tige**

3

Exploits techniques

Dans une construction qui n'utilise aucun mortier pour jointoyer les pierres et aucun enduit pour cacher les imperfections, l'assemblage des pierres est capital. Les blocs de pierre sont empilés et maintenus par leur seule force de gravité.

4

3, 4. Deux techniques pour soulever et manipuler les pierres

L'arc des ingénieurs romains

Les Romains, passionnés de sciences physiques et de mathématiques, sont des ingénieurs hors pair. Ils développent la technique de l'**arc***.

Amphithéâtres, thermes, entrepôts... ces bâtisseurs élèvent ainsi des monuments aux vastes volumes qui affirment la puissance de leur nation. Les empereurs, d'ailleurs, font élever à leur gloire des arcs de triomphe. Les Romains réalisent leurs arcs en pierre, mais aussi dans un nouveau matériau qu'ils ont mis au point : le **béton***, un mélange de cendres volcaniques, de chaux, de sable, de gravier et d'eau, qui durcit en séchant. Le Colisée, amphithéâtre de Rome, spectaculaire ruche entièrement alvéolée d'arches et de voûtes, n'aurait pas pu être construit sans l'utilisation du béton.

1

2

3

Les Romains inventèrent le principe de la HLM : des édifices de six à douze étages.

1. Construction d'un arc en béton
2. Mur en moellons
3. Colonne de brique et de plâtre

Colossal Colisée

Le chantier commença en 70 après J.-C. et dura plus de dix ans. Ce vaste amphithéâtre s'élève à 46 mètres de haut et mesure 183 mètres sur 156. Sous le plancher de l'arène se cachait un labyrinthe de galeries, machineries, armureries, cages aux fauves.

Pierre artificielle

Les Romains savaient fabriquer et utiliser à la perfection trois mélanges qui allaient jouer un rôle capital dans la construction : le ciment, le mortier et le béton. Les deux premiers servent à coller les pierres ou les briques entre elles. Le dernier, sorte de pierre synthétique, remplace les matériaux traditionnels et sert à élever des murs, réaliser des voûtes, etc.

Four à chaux

Construction du Colisée

Cuisine minérale

Le ciment se fabrique en cuisant du calcaire pour obtenir de la poudre de chaux qui, mélangée à de l'eau, donne une pâte qui durcit en séchant. Lorsque le ciment est mélangé avec du sable et de l'eau, on obtient du mortier. L'utilisation du mortier et du béton pour la réalisation d'édifices monumentaux était une idée tout à fait révolutionnaire du temps des Romains.

Briques pratiques

Les Romains, qui avaient un grand sens pratique, ont compris tous les avantages de la brique, que l'on pouvait façonner à la demande.

La chaux obtenue en cuisant du calcaire sert à la fabrication du béton.

 1

 2

3

1. Brique pleine du 19e siècle

1. Brique pleine du 19e siècle
2, 3. Briques creuses : on peut y couler du ciment ou les renforcer avec une armature métallique.

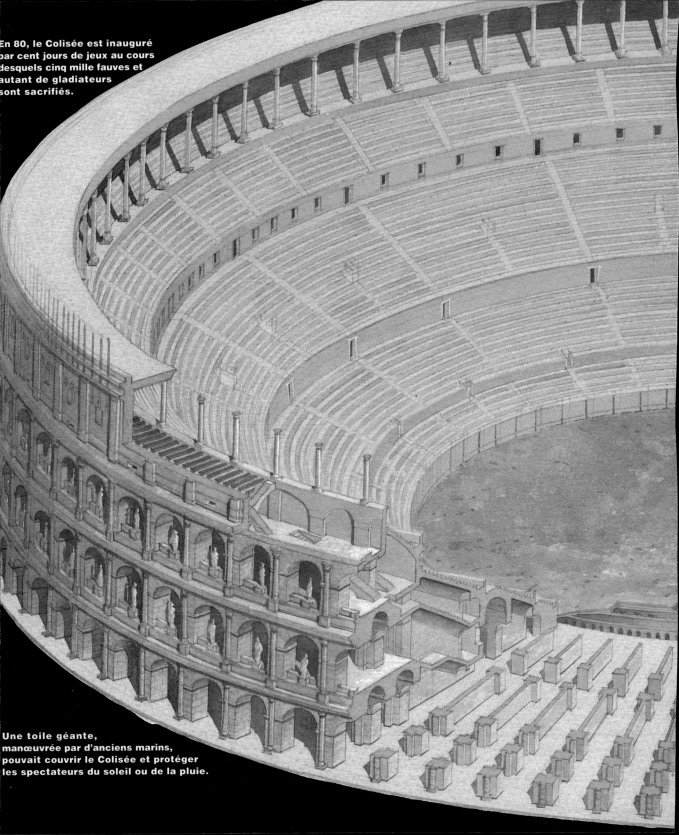

En 80, le Colisée est inauguré
par cent jours de jeux au cours
desquels cinq mille fauves et
autant de gladiateurs
sont sacrifiés.

Une toile géante,
manœuvrée par d'anciens marins,
pouvait couvrir le Colisée et protéger
les spectateurs du soleil ou de la pluie.

Murailles et forteresses

1. Château de bois sur sa motte, vers 900
2. Himeji Hyogo, château fort japonais, 1346
3. Forteresse de Coca en Espagne, 15e siècle
4. Le krak des Chevaliers,
en Syrie, 1110

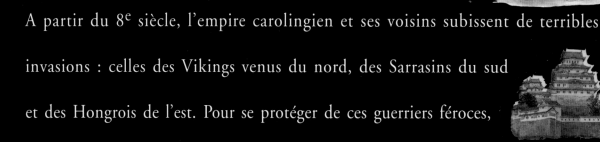

A partir du 8e siècle, l'empire carolingien et ses voisins subissent de terribles

invasions : celles des Vikings venus du nord, des Sarrasins du sud

et des Hongrois de l'est. Pour se protéger de ces guerriers féroces,

les seigneurs font construire des forteresses en **bois**, sur des collines artificielles.

Il fallait des centaines de charrettes de terre pour ériger ces mottes

et plusieurs milliers de chênes pour élever le bâtiment. Plus tard, pour mieux résister

encore aux attaquants, les châteaux furent bâtis en **pierre**.

Des **murailles** de plusieurs mètres d'épaisseur constituées de deux

murs* remplis de gravats, parfois renforcées

de lourdes chaînes de fer, défendaient le donjon.

En cas de siège, cette haute tour à l'air

sévère était la dernière à être conquise...

Parfois, elle ne l'était jamais !

Un ouvrier marche à l'intérieur
du tambour de treuil pour hisser
des matériaux en haut du donjon.

5. Palais d'Ishak Paça, Turquie, 1781
6. Château du roi Louis II
de Bavière, bâti au 19e siècle

Valets, apprentis et compagnons* (des artisans de haut niveau) travaillent sous la direction de maîtres.

Matière première

Extraites des carrières à la main, les pierres étaient hissées au moyen de grues ou de poulies manœuvrées par des hommes ou des animaux. En Europe, c'était la France qui fournissait les meilleures pierres à bâtir. En 1287, les constructeurs de la cathédrale de Norwich, en Angleterre, en commandèrent à Caen, en Normandie. Les 480 kilomètres de trajet doublèrent le prix de la pierre.

Etre architecte

Au Moyen Age, les architectes commencent à être estimés. Ils deviennent l'ami des rois ou des évêques. Ils reçoivent un salaire suffisamment élevé pour pouvoir entretenir cheval et serviteurs. Suprême honneur, ils sont souvent enterrés dans une des cathédrales dont ils ont dessiné les plans. Dans un précieux manuscrit parvenu jusqu'à nous, Villard de Honnecourt, passionné d'architecture, énumère les talents requis par la profession : connaître la maçonnerie, la charpenterie, la géométrie, les machines, la sculpture, la peinture, mais aussi la diplomatie pour convaincre les princes et les prêtres d'adopter son point de vue !

La célébrité

A la fin de l'époque médiévale, les architectes ne seront plus anonymes. La Renaissance se fait une gloire de ses grands architectes tout comme de ses sculpteurs ou de ses peintres.

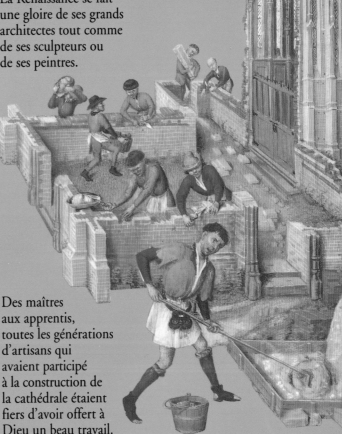

Des maîtres aux apprentis, toutes les générations d'artisans qui avaient participé à la construction de la cathédrale étaient fiers d'avoir offert à Dieu un beau travail.

Les ouvriers carriers souffrent de maladies provoquées par la poussière et l'humidité. Souvent ils sont blessés par des éboulements de terrain.

▲ Les pierres sont assemblées par du mortier, brassé à la pelle par les ouvriers.

Maisons familières en Occident

Bois blond, **ardoise** bleu nuit, **brique*** caramel brûlé, **granit** rose, les maisons, du Moyen Age jusqu'à l'âge industriel, ont été construites de mille manières, mais elles avaient souvent la couleur des matériaux trouvés dans la campagne alentour. Dans les pays du Nord où s'étendent d'immenses forêts de conifères aux troncs longs et droits, les maisons étaient tout en bois. Dans les pays tempérés, en revanche, où les forêts sont moins vastes et composées surtout de chênes, plus noueux que les résineux, les hommes se sont servis du bois pour construire seulement l'ossature de leurs maisons. Cet assemblage de poutres en croisillons restait apparent une fois la maison achevée. Les vides des murs étaient bouchés par de la terre, des briques, des pierres.

1, 2. Le travail des menuisiers, capital dans les maisons de jadis
3. Maison à colombage avec son ossature de bois
4. Le clayonnage souvent utilisé dans les maisons médiévales

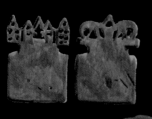

Avec une hache, les bords de l'ardoise sont égalisés.

L'ardoise

L'ardoise est une pierre tendre mais imperméable dont la particularité est de se présenter à l'état naturel en plaques feuilletées. On l'utilise surtout pour recouvrir les toits. En quelques coups de maillet sur la tranche, le fendeur obtient deux plaques d'ardoise.

Le calcaire

Les plus belles pierres sont faites de calcaires durs qui se sont formés, il y a des millions d'années, à partir d'organismes transformés en fossiles. Les matériaux, selon leur forme, peuvent être assemblés de différentes manières, appelées appareillages.

Le bois

Pour construire les maisons d'autrefois, alors que le bois était abondant, on utilisait des troncs d'arbres entiers assemblés aux quatre coins. Grâce aux progrès des outils de sciage, les rondins ont été remplacés par des planches qui usent bien moins de bois.

La tuile

Pour constituer
la couverture des toits,
on a longtemps utilisé
du chaume, mais comme
ces toits de paille étaient
difficiles à entretenir
et prenaient souvent feu,
ils ont peu à peu été
remplacés par les
toits de tuiles,
connues
depuis les
Romains.

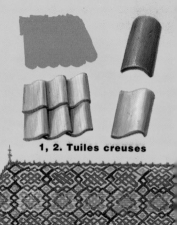

1, 2. Tuiles creuses

3. Tuiles plates vernissées

Le granit

Le granit est une roche
très dure à travailler,
mais les hommes ont su
malgré tout l'utiliser
pour bâtir des maisons
simples et austères.
Il existe toute une palette
de granits : blanc, gris,
moucheté, rose ou noir.
Le grain de cette roche
est grossier, mais elle est
parfois joliment pailletée
en raison des cristaux de
quartz qu'elle renferme.

La brique

Jusqu'en 1860, les briques
étaient faites à la main
et différaient en forme
et en couleur les unes
des autres. Les maçons
tiraient parti de ces
nuances et choisissaient
les briques presque une
par une pour obtenir
des effets. Aujourd'hui,
elles sont fabriquées
en série dans les usines.

◄ **Fabrication
de briques
à la presse
manuelle**

**Une usine
de briques
moderne** ▼

...on bretonne avec
...oit d'ardoise, bâtie
...fin du 16e siècle

Toit de tuile
en Italie

...s da Cintoia
...rence, en Italie,
...truit au 14e siècle
...du grès, une pierre
...e à tailler

Maison corse
bâtie en granit

...on de bois de
...Francisco, Etats-Unis, 1830

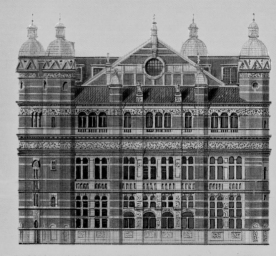

Théâtre anglais en brique et en faïence, 1891

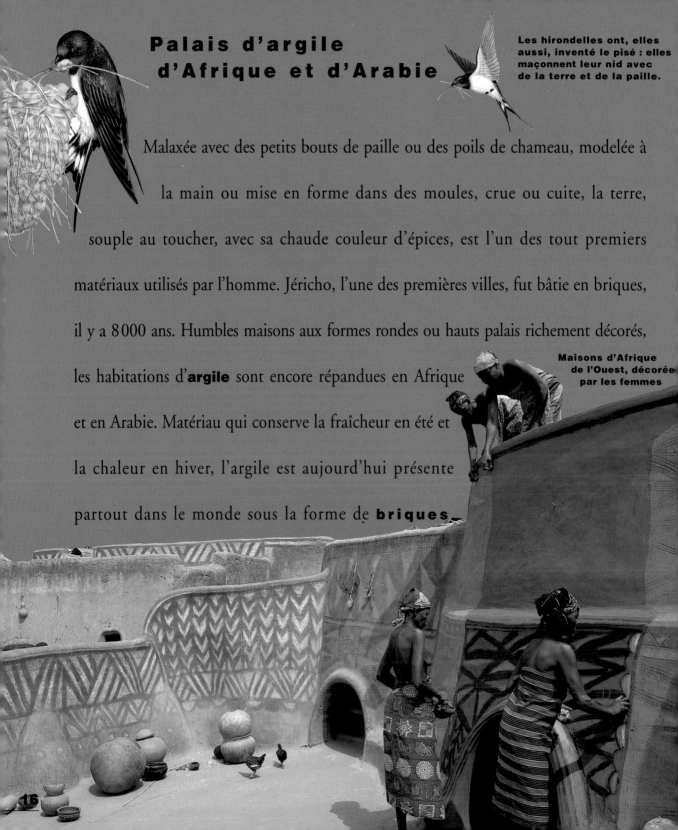

Palais d'argile
d'Afrique et d'Arabie

Les hirondelles ont, elles aussi, inventé le pisé : elles maçonnent leur nid avec de la terre et de la paille.

Malaxée avec des petits bouts de paille ou des poils de chameau, modelée à la main ou mise en forme dans des moules, crue ou cuite, la terre, souple au toucher, avec sa chaude couleur d'épices, est l'un des tout premiers matériaux utilisés par l'homme. Jéricho, l'une des premières villes, fut bâtie en briques, il y a 8000 ans. Humbles maisons aux formes rondes ou hauts palais richement décorés, les habitations d'**argile** sont encore répandues en Afrique et en Arabie. Matériau qui conserve la fraîcheur en été et la chaleur en hiver, l'argile est aujourd'hui présente partout dans le monde sous la forme de **briques.**

Maisons d'Afrique de l'Ouest, décorée par les femmes

1. Mosquée de Bobo Dioulasso,
au Burkina Faso
2. La terre foulée au pied,
avec de la paille

1

2

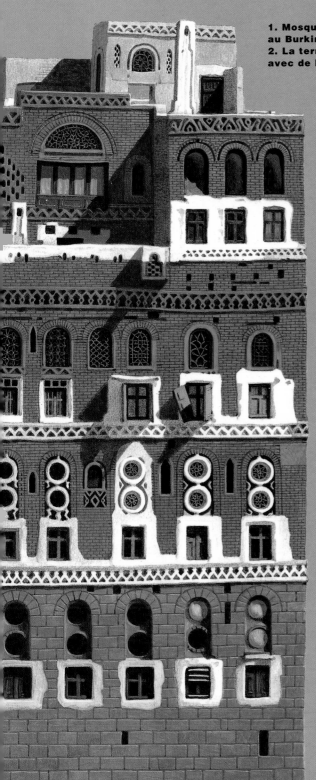

Histoires de murs

Les murs de terre peuvent
être modelés à la main,
en agglomérant à la
construction des boules
d'argile, ou fabriqués
grâce à des «coffrages»

de bois que l'on remplit
de terre pour la tasser
ensuite en la foulant au
pied. Les murs peuvent
aussi être montés en
empilant des briques
crues ou cuites.
Les maisons de terre crue
sont fragiles et il faut
souvent les restaurer.
En revanche, la terre
cuite est très résistante.

**Briques moulées
puis séchées
au soleil**

Technique et brique

Le geste du mouleur
a été remplacé par celui
des robots, la cuisson au
gaz s'est substituée à celle
des branchages, mais les
briques modernes sont
à peu près identiques
à celles fabriquées
il y a des milliers
d'années !

Au Japon : une maison de papier

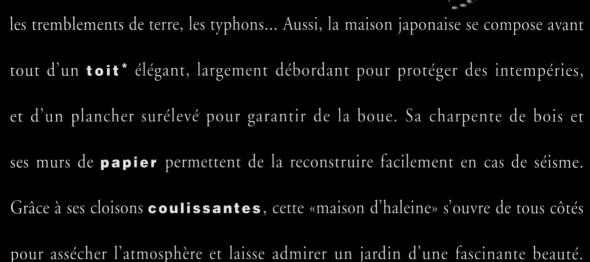

Un pavillon du palais Katsura, à Kyoto, d' l'on contempla la lune.

Soumis aux caprices de la nature, le Japon connaît les pluies torrentielles des moussons, les tremblements de terre, les typhons... Aussi, la maison japonaise se compose avant tout d'un **toit*** élégant, largement débordant pour protéger des intempéries, et d'un plancher surélevé pour garantir de la boue. Sa charpente de bois et ses murs de **papier** permettent de la reconstruire facilement en cas de séisme. Grâce à ses cloisons **coulissantes**, cette «maison d'haleine» s'ouvre de tous côtés pour assécher l'atmosphère et laisse admirer un jardin d'une fascinante beauté.

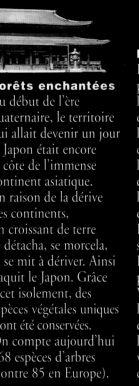

vec leurs toits
nt la ligne des
n la légende,
vais esprits.

Un encadreur monte une peinture sur un panneau
de bois, destiné à un paravent. Ces œuvres
à déplier servaient de décor mais aussi de
séparation dans les riches maisons. ▼

Maisons végétales

orêts enchantées
u début de l'ère
uaternaire, le territoire
ui allait devenir un jour
Japon était encore
côte de l'immense
ontinent asiatique.
n raison de la dérive
es continents,
n croissant de terre
détacha, se morcela,
se mit à dériver. Ainsi
aquit le Japon. Grâce
cet isolement, des
spèces végétales uniques
ont été conservées.
On compte aujourd'hui
68 espèces d'arbres
ontre 85 en Europe).

La forêt, qui couvre
près de 67 % de
la superficie
du Japon,
lutte sans
cesse contre
le ravinement
des eaux et
les glissements
de terrain.
Elle assure au Japon
sa propre sauvegarde.
Elle est vénérée
par le peuple japonais.
Voilà pourquoi
la plupart des matériaux
de construction ont
longtemps été d'origine
végétale. Même les
cloisons de la maison

étaient faites en papier
de mûrier. Au Japon,
l'architecte est avant
tout un charpentier.

**Chaque ouverture
est comme le cadre
d'un tableau qui montre
une facette du jardin.**

Les jardins japonais, qui servent d'écrins aux maisons, sont célèbres dans le monde entier.

Mousse et graviers

Gravier soigneusement ratissé, mousse fleurie, galets savamment disposés le long d'un chemin, étangs où nagent d'énormes carpes, pins aux formes torturées... les jardins sont dessinés avec un art consommé.

Architecture des jardins

Plus que tout, le jardin révèle la sensibilité japonaise. Etroitement uni à l'architecture des maisons et des temples il est souvent conçu pour être vu de l'intérieur du bâtiment.

Parcours poétique

Les allées du jardin sont sinueuses. L'important n'est pas d'aller d'un point à un autre mais de multiplier les points de contemplation.

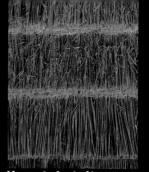

Le plan libre

Dans la maison
japonaise, il n'y a pas
de notion de centre.
Elle donne l'idée d'un
labyrinthe à parcourir ;
elle s'imbrique au jardin.
Par son audace, sa rigueur,
la maison japonaise
influencera les grands
architectes
du 20ᵉ siècle.

Espace parfait

La maison se prête
aux transformations :
cloisons coulissantes,
panneaux démontables,
paravents pliants.
Le mobilier est réduit
à des éléments faciles
à déplacer : tables basses,
lampes, matelas légers
que l'on range le jour
et déroule la nuit.

Le choix des bois

Cyprès, cryptoméria,
pin noir ou rouge, orme,
cèdre, bambou sont
utilisés dans les maisons
traditionnelles. Les bois
durs, tels que le chêne,
le camphrier, le cerisier,
servaient surtout pour
les détails, en particulier
les consoles complexes
qui soutiennent les toits.

Un art du toit

La maison japonaise
est construite avec
une grande simplicité
et une économie de
moyens. Tout en toit
(de bois, de chaume
ou de tuiles) et en
plancher, elle s'étire
à l'horizontale,
s'intégrant à merveille
dans le paysage.

Les ponts au fil des siècles

Des premières pierres jetées dans la rivière pour la traverser à gué… jusqu'aux ponts géants métalliques, il s'est écoulé des dizaines de siècles : le temps qu'il fallut aux hommes avant d'inventer, dans le courant du 19e siècle, un nouvel alliage aux qualités extraordinaires : l'**acier***.

Hautement résistant, il devait permettre de réaliser des ouvrages capables d'enjamber des distances jamais atteintes jusqu'alors. Encore en construction au Japon, le plus long **pont suspendu** du monde mesurera près de 2 kilomètres !

Un pont suspendu : le Brooklyn Bridge, New York

Boulon, écrou   **Rivets**   **Soudure**

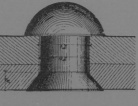
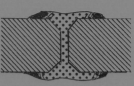

1. Pont de pierre, en arc, et ses maisons médiévales

2. Premier pont de fer, en arc, construit en 1775

3. Pont à cantilever : chaque moitié du pont dépend d'une structure fixée dans le lit de la rivière.

Grâce aux progrès de la sidérurgie au 19e siècle, les métaux allaient entrer en force dans la construction des ponts tout d'abord, puis dans les autres ouvrages d'architecture.

Les ponts ont été les premiers ouvrages entièrement réalisés en métal. Ils ont donné le goût des structures pures et fait découvrir la beauté des ossatures, qui souvent étaient masquées par des revêtements divers.

La charge dynamique des vents est le cauchemar des ingénieurs. En 1940, le Tacoma Bridge, aux Etats-Unis, se mit à se tordre comme un serpent sous l'effet d'une tempête et finit par exploser. Il y a trente ans, pour concevoir le célèbre Verrazano Narrows Bridge, à New York, il fallut dessiner des dizaines de milliers de plans. De nos jours, grâce aux ordinateurs et aux souffleries, les ingénieurs peuvent gagner un temps précieux. Pour suivre le récit de la construction du pont Brooklyn, lire le petit journal glissé dans la pochette finale.

FRANK LESLIE'S
ILLUSTRATED
NEWSPAPER

NEW YORK - LE 28 AVRIL 1883

ON INAUGURE CE SOIR
LE PONT DE BROOKLYN !

Palaces et dentelles de métal

Exemple célèbre d'architecture de métal : la tour de Gustave Eiffel, bâtie en 1889

Pour la première Exposition universelle*, qui va avoir lieu à Londres, en 1851, le prince Albert, époux de la célèbre reine Victoria, veut voir réaliser le plus vaste édifice de l'univers, mais ni les délais, ni l'argent ne permettent de construire un tel bâtiment en brique ou en pierre. On fait appel à Joseph Paxton, un ancien jardinier, qui a déjà conçu des serres pour abriter des nénuphars géants.

Paxton propose une **ossature de métal*** vitrée. Cette cathédrale transparente d'un demi-kilomètre de long est montée dans Hyde Park. Le journal humoristique «Punch» la surnomme, pour s'en moquer, «**Crystal Palace**». Ce nom lui restera.

Le plafond s'élève
squ'à 33 mètres pour
ntenir les ormes
ntenaires du parc !
Pour tester les
ructures, on fait
sser dessus une
oupe de soldats.
Un nouveau procédé
soufflage permet
produire des plaques
verre de grandes
mensions.

4. Près de 80 ouvriers posent 18 000 carreaux
en une semaine. Cette structure de métal et de
verre jouera un rôle déterminant dans l'histoire
de l'architecture. Avec elle, la fenêtre disparait
au profit du mur de verre.

5. L'édifice installé
à Hyde Park sera
démonté et rebâti
à Syden Hill où il
sera détruit en 1936
par un incendie.

Grâce à sa connaissance des milieux industriels, Paxton a su trouver les concours indispensables à
la construction de son palais de verre. L'édifice est formé d'un assemblage d'éléments standardisés

Gratte-ciel aux squelettes d'acier

a

Derrière la palissade, les mâchoires des pelleteuses chargent la terre sur des camions : les **fondations*** du gratte-ciel sont creusées. Comme une pâte à gâteau grise, le béton est coulé dans des coffrages en bois sur des ferraillages pour réaliser piliers et planchers. Telles des girafes, des **grues*** apparues sur le chantier hissent les matériaux.

Le squelette du bâtiment achevé est revêtu d'une peau de verre, de métal ou de **béton***. Les gratte-ciel s'élancent de plus en plus haut. La cime de certains oscille sous les effets du vent. Un immeuble de 300 mètres peut se déplacer de 1,20 mètre au sommet, ce qui donne aux occupants des derniers étages... le mal de mer !

b

c

a. Construction de l'Empire State Building
b. Architectes déguisés en gratte-ciel
c. Tour Sears, Chicago, 443 m, 1974

1. **Empire State Building,** New York, 381 m, 1931
2. **Tour de la Banque de Chine,** Hongkong, 315 m, 1988
3. **Chrysler Building,** New York, 319 m, 1930

4. **Transamerica,** San Francisco, 260 m, 1972
5. **Seagram Building,** New York, 160 m, 1958, réalisé par Mies van der Rohe*, l'un des grands architectes du 20e siècle

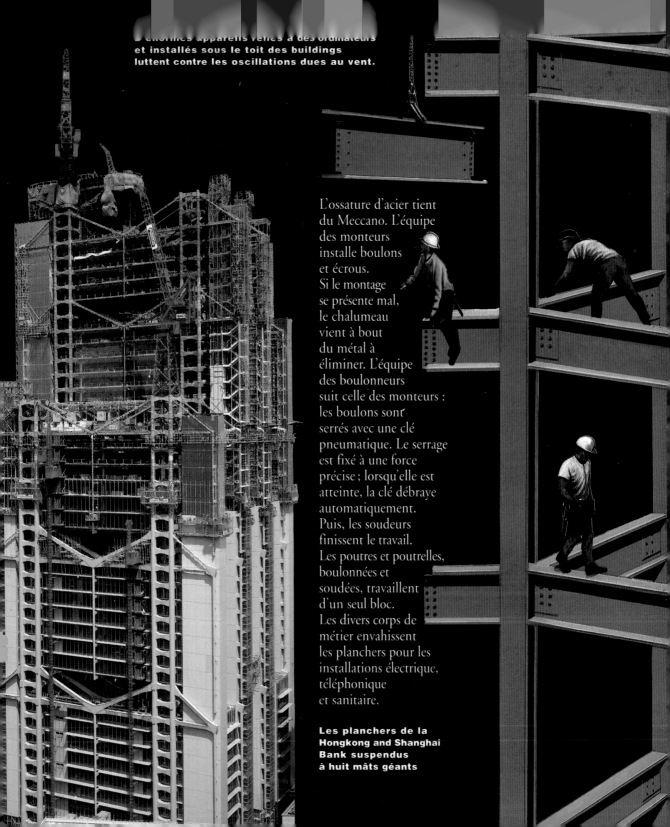

énormes appareils reliés à des ordinateurs
et installés sous le toit des buildings
luttent contre les oscillations dues au vent.

L'ossature d'acier tient
du Meccano. L'équipe
des monteurs
installe boulons
et écrous.
Si le montage
se présente mal,
le chalumeau
vient à bout
du métal à
éliminer. L'équipe
des boulonneurs
suit celle des monteurs :
les boulons sont
serrés avec une clé
pneumatique. Le serrage
est fixé à une force
précise ; lorsqu'elle est
atteinte, la clé débraye
automatiquement.
Puis, les soudeurs
finissent le travail.
Les poutres et poutrelles,
boulonnées et
soudées, travaillent
d'un seul bloc.
Les divers corps de
métier envahissent
les planchers pour les
installations électrique,
téléphonique
et sanitaire.

**Les planchers de la
Hongkong and Shanghai
Bank suspendus
à huit mâts géants**

Une maison sur une cascade

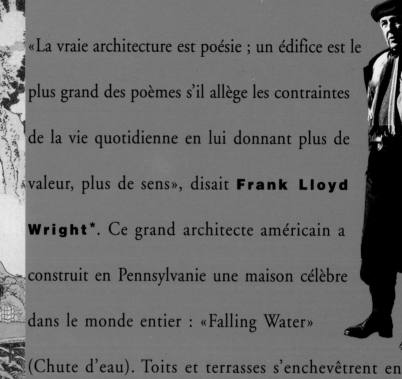

«La vraie architecture est poésie ; un édifice est le plus grand des poèmes s'il allège les contraintes de la vie quotidienne en lui donnant plus de valeur, plus de sens», disait **Frank Lloyd Wright***. Ce grand architecte américain a construit en Pennsylvanie une maison célèbre dans le monde entier : «Falling Water» (Chute d'eau). Toits et terrasses s'enchevêtrent en s'étirant horizontalement dans la forêt. Avec ses dalles de béton armé surplombant audacieusement une cascade, la maison est un exploit technique. Lorsqu'il fallut décoffrer le béton, les ouvriers craignaient que tout s'effondre. L'architecte saisit alors une pioche et libéra le béton de sa gangue de bois. Et la maison tint bon !

Au Japon, une maison au bord d'une cascade est une assurance de longue vie. Wright possédait cette estampe japonaise.

Wright laisse les rochers de la colline affleurer près de la cheminée, au beau milieu du salon !

Les échafaudages
lors de la construction
de Falling Water

Page calque : dessin
de Wright aux crayons
de couleur

Libertés du béton

Avec ses volumes géométriques, ses pilotis, la villa Savoye, bâtie en béton armé, par **Le Corbusier*** , donne une idée de musique : lignes parallèles évoquant une portée de notes, murs incurvés comme les flancs d'une guitare. Bien que son histoire fût riche en disputes («il pleut dans ma salle de bains inondée à chaque averse», se lamentait son propriétaire), la villa, avec ses bastingages et son air de maison maritime, continue de fasciner.

Elle exprime à sa manière les idées de son créateur :

«L'architecture est le jeu savant, correct et magnifique des **volumes** sous la lumière.»

Maquette de la villa Savoye, vue de dessus

«Faire une architecture, c'est faire une créature.» Le Corbusier

«La maison reposera sur l'herbe, comme un objet, sans rien déranger.» Le Corbusier

Maisons molles comme des méduses ou géométriques comme des boîtes à chaussures, le béton armé permet toutes les formes !

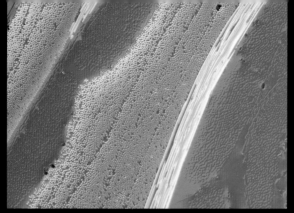

Maison textile

S'inspirant des principes de la toile d'araignée, les architectes de la fin du 20e siècle, avec des câbles d'acier et des textiles spéciaux, très résistants, réalisent des bâtiments qui ressemblent presque à des vaisseaux.

▲ **Fibres de verre et de carbone, au microscope**

Bétonnière avec sa cuve tournante ▼

Photo au microscope ▶ de la germination des cristaux de béton en train de durcir

Cheveux du béton

Aujourd'hui, on mélange au béton des matériaux qui le rendent plus résistant, comme des fibres de carbone ou de polypropylène.

Dôme-coquillage

Selon le principe de la coquille, des dômes sont réalisés avec des «voiles de béton» qui ne dépassent pas quelques centimètres d'épaisseur.

Exemple d'architecture de toile : ce ver luisant géant (un centre de recherches à Cambridge, en Grande-Bretagne)

Des ombres de palais,

de dômes et d'aiguilles,

de tours et de donjons,

de clochers, de bastilles,

de châteaux forts, de kiosks

et d'aigus minarets, (...)

de spirales, d'arceaux,

de parcs, de colonnades,

d'obélisques, de ponts,

de portes et d'arcades :

tout fourmille et grandit,

se cramponne en montant,

se courbe, se replie,

se creuse ou s'étend.

Dans un brouillard de feu,

je crois voir ce grand rêve!

Alfred de Vign

Mots à connaître

Géomètre

Couvreur

Béton coulant dans les banches

Acier

L'acier, alliage de fer et de carbone, est un matériau extraordinaire pour la construction car il possède de grandes qualités : il est à la fois très résistant et souple. A température ambiante, les particules de carbone sont mal réparties au sein des particules du fer. Mais lorsque l'acier est chauffé, le carbone se mélange mieux au fer (comme en cuisine, lorsqu'on chauffe une sauce pour lier tous les ingrédients). Si l'acier est refroidi rapidement, la répartition des atomes de carbone dans le fer est comme figée. L'acier acquiert alors une dureté exceptionnelle : il «prend la trempe».

Arc

L'arc est un élément capital dans l'art de bâtir. Il a même obsédé des générations d'architectes. Au sens strict, l'arc est un ouvrage de maçonnerie constitué d'un assemblage de pierres taillées en coin et disposées côte à côte de manière à se bloquer mutuellement. Il existe plusieurs catégories d'arcs : arc brisé, en fer à cheval, polylobé (à plusieurs lobes), en anse de panier...

Béton

Les Romains savaient fabriquer ce matériau fait de sable, de ciment, de pierres concassées, d'eau, mais c'est au milieu du 19e siècle que des Anglais et des Français eurent à peu près simultanément l'idée de couler du béton sur une armature métallique pour le rendre encore plus solide. L'invention du «béton armé» allait provoquer une véritable révolution dans les techniques de construction. Aujourd'hui, on sait teinter le béton, lui donner des formes étonnantes et des aspects velouté, laqué, satiné... et même de le parfumer ! On y incorpore des fibres synthétiques pour l'empêcher de se fissurer. Cette technique s'inspire d'ailleurs de procédés anciens. Ainsi, 3 000 ans avant notre ère, les Sumériens incorporaient déjà des fibres végétales dans l'argile pour rendre leurs murs plus solides. Quant aux Egyptiens, ils utilisaient des poils de chameau pour «lier» leur mortier ! L'une des dernières innovations est la mise en place, au cœur même du béton, d'implants «intelligents» capables de révéler les dégradations avant qu'elles ne deviennent critiques. Les matériaux diagnostiqueraient eux-mêmes leurs défauts et demanderaient aux ingénieurs de les remplacer !

les Sumériens ont beaucoup utilisé la brique car ils ne disposaient pas d'autres matériaux de construction. La pierre, qui venait de loin et coûtait cher, ne servait qu'à la sculpture. En revanche, les Egyptiens, qui avaient à leur disposition d'immenses carrières, n'utilisaient la brique que pour construire les habitations populaires. Au 1er millénaire avant J.-C., les Mésopotamiens ont eu l'idée de faire cuire les briques pour les rendre plus solides. La pierre avait alors trouvé un concurrent de taille...

au 3e siècle après J.-C. On avait alors pensé à les munir d'une petite voile afin de faciliter le travail des ouvriers les jours de vent ! En Europe, il a fallu attendre la construction des premières cathédrales pour que ces petits véhicules à deux bras soient utilisés sur les chantiers. Depuis cette époque, les brouettes se sont rendues indispensables. Au début du 20e siècle, un facteur nommé Ferdinand Cheval a même construit un palais gigantesque grâce aux monceaux de pierres et de petits cailloux

Brouette du 16e siècle

Brouette à bascule

Brouette du 19e siècle

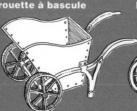

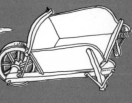

Brique

Les premières briques ont été fabriquées par les Sumériens, au 4e millénaire avant notre ère. Ces briques crues faites d'argile, de paille et d'eau étaient façonnées dans des moules en bois et séchées au soleil. Comme d'autres habitants de la Mésopotamie,

Brouette

Contrairement à ce que l'on croit souvent, ce n'est pas Blaise Pascal qui a inventé la brouette. Ce savant et écrivain français du 17e siècle s'est contenté de perfectionner une chaise à porteurs nommée «vinaigrette». En réalité, les premières brouettes sont apparues en Chine

transportés inlassablement dans sa vieille brouette en bois. Il lui a d'ailleurs rendu hommage en lui donnant la parole dans l'un de ses poèmes : «Moi sa brouette j'ai eu cet honneur d'avoir été plus de trente ans sa compagne de labeur. Je suis la fidèle compagne du travailleur intelligent.»

Compagnon

Les associations de compagnons réunissent des ouvriers de haut niveau (charpentiers, tailleurs de pierre, menuisiers, maçons...). Pour devenir compagnon, le jeune ouvrier sera d'abord «aspirant». Il effectuera un tour de France pendant lequel il perfectionnera son savoir. Il sera accueilli dans des Maisons ou «Cayennes», où il sera hébergé et où on lui trouvera toujours de l'embauche. Il réalisera son «chef-d'œuvre» pour montrer sa compétence et son amour du métier. Il sera reçu «compagnon» si ses aînés l'en jugent digne, au cours d'une cérémonie gardée secrète. Les compagnons ont tous des surnoms : Limousin Va de Bon Cœur, Vaudois l'Exemple de son Père, Meknès l'Ami des Arts...

Ils possèdent un passeport secret appelé «cheval», qu'ils ne peuvent montrer qu'aux autres compagnons. A leur mort, ce passeport est brûlé sur leur cercueil.

Echafaudage

Au Moyen Age, les échafaudages sont faits de jeunes troncs d'arbres.

Pour construire la partie haute des cathédrales, les maçons grimpent sur des échafaudages volants suspendus aux charpentes. Parfois, ils travaillent sur de simples planches posées sur des poutres enfoncées dans le mur. Les trous laissés par ces poutres sont d'ailleurs encore visibles sur les murs. En Occident, les échafaudages en métal ont peu à peu remplacé ceux de bois utilisés depuis l'Antiquité. En Asie, on trouve encore des échafaudages en tiges de bambou nouées par des cordages.

Exposition universelle

La première, organisée à Londres en 1851, exhibe sous le toit de verre du Crystal Palace toutes sortes de machines ingénieuses pour filer le coton, écraser la canne à sucre ou fabriquer du chocolat. Elle présente aussi une multitude de meubles, vêtements et objets d'art. Quatre ans plus tard, pour surpasser l'exposition britannique, la France inaugure le Palais de l'Industrie de 1 kilomètre de long et expose des locomotives à vapeur. Elle présente aussi les produits exotiques de ses colonies. Pour les visiteurs de l'époque, qui voyagent rarement, c'est l'occasion de découvrir des peuples inconnus. Chaque nation invitée construit un pavillon typique de son architecture et montre

La Guilbrette, rite fraternel des Compagnons

le travail de ses artisans. Ainsi, en 1878, après avoir bu un thé dans la ferme japonaise, le visiteur pouvait observer un savetier algérien tailler des babouches ou un tisserand indien exécuter un châle... En fait, le public d'alors s'intéresse davantage au folklore et aux attractions foraines qu'à l'architecture. Mais les choses ont changé : lors de l'Exposition universelle de Séville en 1992, ce sont les pavillons construits par des architectes du monde entier qui ont attiré plus de 15 millions de visiteurs.

Fondations

Les «fondations» sont l'ensemble des éléments d'une construction cachés dans la terre et sur lesquels repose la partie visible du bâtiment. La conception des fondations varie selon la nature du terrain. S'il est peu résistant, on peut y creuser des puits que l'on remplira de maçonnerie, et qui formeront des piliers. Les fondations à pilotis utilisées en terrains instables ou pour construire sur l'eau sont constituées

de pieux que l'on enfonce par l'une de leur extrémité taillée en pointe, jusqu'à ce qu'ils trouvent un appui ferme. Lorsque l'on n'a pas apporté assez de soins aux fondations, les bâtiments peuvent alors s'effondrer ou bien se mettre à pencher dangereusement comme la célèbre tour de Pise. Aujourd'hui, cependant, grâce à plusieurs tonnes de plomb enfouies sous la tour, elle se redresse peu à peu !

Grue

Cet engin de levage permet de soulever des matériaux très lourds. Pendant l'Antiquité, les grues n'ont pas servi seulement sur les chantiers. On les utilisait aussi en temps de guerre, pour jeter des pierres ou pour faire chavirer les bateaux. Dans ce cas, un plongeur allait accrocher sur la proue du navire ennemi un piton relié à la grue par une corde. Il suffisait d'actionner la grue pour

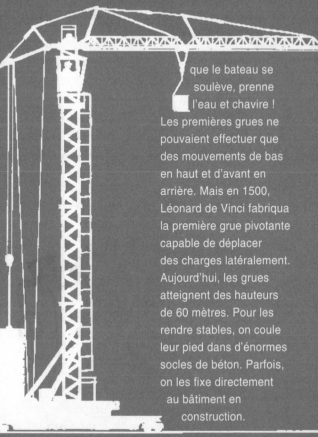

que le bateau se soulève, prenne l'eau et chavire ! Les premières grues ne pouvaient effectuer que des mouvements de bas en haut et d'avant en arrière. Mais en 1500, Léonard de Vinci fabriqua la première grue pivotante capable de déplacer des charges latéralement. Aujourd'hui, les grues atteignent des hauteurs de 60 mètres. Pour les rendre stables, on coule leur pied dans d'énormes socles de béton. Parfois, on les fixe directement au bâtiment en construction.

Métal

Clous, vis, boulons, gonds et autres ferrures utilisés en construction sont en métal. Mais depuis les Romains, le métal est aussi utilisé comme élément de structure des édifices.

Pose des rivets

Le bronze servait à agrafer les pierres entre elles. Le plomb constituait le matériau idéal pour les toits des églises et les gouttières. En Scandinavie, certains toits sont faits de cuivre et prennent avec le temps une belle patine bleu-vert. Les toitures en zinc donnent les gris argentés typiques des bâtiments de Paris. Mais l'une des étapes importantes dans l'utilisation des métaux pour la construction fut la mise au point de la fonte du minerai de fer par le charbon (avant on utilisait le bois avec lequel on obtenait des températures moins élevées). La structure des édifices fit de plus en plus appel à la fonte et au fer forgé. Les techniques mises au point au cours du 19e siècle pour la construction des voies ferrées furent vite appliquées en architecture et pas seulement pour les gares de chemin de fer. Enfin la délicate mise au point de l'acier devait permettre aux architectes des libertés jamais connues.

Mur

Il y a de nombreuses manières de monter un mur, selon les matériaux et leur agencement : rondins, planches, argile modelée, briques ou pierres. Le mur en moellons, par exemple, est une sorte de puzzle dont les pièces sont inégales : de grosses pierres irrégulières coincées par de petits cailloux. Des moellons équarris (taillés en parallélépipèdes), mais encore de diverses tailles, donnent à la construction un aspect plus sage. Les murs bâtis en pierres de taille, toutes semblables, permettent d'avoir un revêtement parfaitement régulier. Il est possible de mélanger briques et pierres en couches surperposées, ce qui donne au mur l'air d'un gâteau, ou de les alterner de telle sorte que le bâtiment ressemble à un damier géant.

Structure

A la manière d'un squelette, la structure d'une construction lui permet de se tenir debout. Si elle est défaillante, elle s'effondrera. La structure supporte son propre poids, celui du bâtiment, mais elle subit aussi des tensions externes. Les cathédrales gothiques faisaient l'objet de calculs savants pour établir les poussées qui allaient s'exercer sur l'édifice. Mais les architectes

Bétonnière

architectes n'étaient jamais certains à 100 % des résultats : lorsque les échafaudages qui soutenaient les voûtes principales étaient lentement démontés, prêtres, artisans et ouvriers faisaient tous ensemble une prière pour que le bâtiment tienne bon. Il est arrivé parfois que tout s'écroule !

Toits

En Europe, dans les grandes plaines à céréales, les paysans ont souvent détourné une partie des récoltes de paille pour la couverture de leurs toits : c'est le chaume qui longtemps a été prédominant en Angleterre, en Flandre, en Normandie... au point que l'on appelait ces maisons des «chaumières». Ces toits étaient économiques, mais pour que ces couvertures végétales résistent au vent, il fallait les ligaturer, les tresser ou les serrer en bottes. Dans les pays à enneigement prolongé, comme la Scandinavie ou le Canada, ou dans les zones à vents violents, comme la vallée du Rhône, les toits de

paille

La dernière pierre

ne convenaient pas. Dans les pays froids (Sibérie, Norvège, etc.), les toits en planches étaient intéressants car le bois n'est pas glissant ; ainsi, ces maisons gardent la couche de neige qui est un excellent isolant du froid. Comme les toits de chaume, ceux de bois sont aujourd'hui en recul à cause des dangers d'incendie. Ils sont remplacés par l'ardoise, le zinc, l'uralite, ou le Fibrociment. Les toits de tuiles sont connus depuis l'Antiquité grecque et romaine ; ils sont aujourd'hui très largement répandus. Dans certains pays, il arrive que les toits soient composés de plusieurs matériaux. En Norvège, certains sont faits de

plaquettes de bois recouvertes de gazon qui fleurit au printemps.

Verre

C'est dans les ruines de Pompéi, grande cité romaine détruite par l'éruption du Vésuve en 79, que l'on a retrouvé les premiers verres à vitres. Ils étaient épais de 2 centimètres ! Mais il a fallu attendre le 19e siècle pour que les vitres, produites de manière industrielle, se répandent dans toutes les maisons. Au 16e siècle, elles étaient encore tellement précieuses que, dans certains châteaux, on les enlevait quand le maître était absent, par peur de les briser. Deux siècles plus tard, alors que les verreries s'étaient multipliées, les paysans français continuaient à garnir leurs

Coq de cloch mené en procession

Index

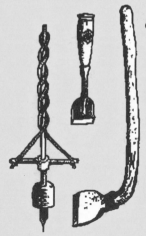

Outils japonais

Le plombier zingueur

Chronologie

		Préhistoire/Antiquité – 2 millions – 4000 à – 4000 à – 500	Moyen Age 500-1492	Renaissance 1492-1600
Architecture		v. – 300 000 Premières huttes de l'humanité – 2800 Première pyramide édifiée pour le pharaon Djoser – 447 Construction du Parthénon, l'un des temples grecs les plus célèbres	1100 Début des constructions de châteaux forts et de cathédrales 1345 Les Aztèques, peuple d'Amérique centrale, édifient des temples sur les marches desquels ils sacrifient des êtres humains	Michel-Ange, peintre, poète, sculpteur, est aussi l'un des plus grands architectes de la Renaissance, avec Filippo Brunelleschi et Andrea Palladio qui s'inspirent de l'architecture de l'Antiquité
Arts/Spectacles		– 60 000 Première flûte en os – 30 000 Premières sculptures – 15 000 Peintures de Lascaux – 400 Naissance du théâtre comique grec	Fresques, peintures sur bois et manuscrits enluminés 1026 Les notes de musique sont baptisées (do, ré, mi, etc.) 1100 Les troubadours racontent des légendes en chansons	Les génies de la Renaissance : Raphaël, Léonard de Vinci, Albrecht Dürer 1576 La première salle de théâtre européenne est construite à Londres
Littérature		v. – 3250 Invention de l'écriture – 850 Homère écrit «l'Iliade» et «l'Odyssée»	v. 1174 «Le Roman de Renart»	1532 Rabelais écrit «Pantagruel» et «Gargantua» 1594 Shakespeare écrit «Roméo et Juliette»
Sciences		v. – 1,8 million d'années Premiers outils de pierre v. – 400 000 Conquête du feu v. – 4000 Découverte du métal	868 Premier livre imprimé en Chine avec des blocs de bois gravés 1450 L'Allemand Gutenberg invente l'imprimerie	1543 Le Polonais Copernic annonce que la Terre tourne autour du Soleil 1509-1590 Ambroise Paré, père de la chirurgie moderne 1590 Invention du microscope
Histoire		– 4-5 Naissance du Christ	700-875 Les Vikings traversent l'Atlantique jusqu'aux Amériques 1096-1270 Les croisades 1348 La peste noire ravage l'Europe	1492 Découverte de l'Amérique par Christophe Colomb 1519 Magellan entreprend le premier tour du monde

17e et 18e siècles   19e siècle   20e siècle

17e siècle Age d'or de l'art baroque : décors ruisselants d'ors et de sculptures dans les églises et les palais
1653 Construction du Taj Mahal, le tombeau d'une souveraine indienne

Siècle de la construction métallique : gares, bibliothèques, grands magasins, verrières, halls...
1889 Inauguration, dans un concert de critiques, de la tour Eiffel

1931 Edification de l'Empire State Building
1972 Stade olympique de Munich, avec son toit le plus grand du monde : 85 000 m²

Age d'or de la peinture flamande
1643 Molière fonde sa troupe de théâtre
1685 Naissance de Bach
1764 Mozart, âgé de huit ans, compose sa première symphonie

Naissance de l'impressionnisme : Monet, Renoir, Pissarro... Rodin, un géant de la sculpture
1808 «Cinquième Symphonie» de Beethoven
1830 «Symphonie fantastique» de Berlioz
1882 «Parsifal» de Wagner
1895 Naissance du cinéma

v. 1900 Naissance du jazz
1907 Picasso peint son premier tableau cubiste
1913 Premier film de Charlot
1955 Débuts du rock'n roll

1670 Jean de La Fontaine écrit ses «Fables»
1719 «Robinson Crusoé» de l'Anglais Daniel Defoe

1865 «Alice au pays des merveilles» de Lewis Carroll
1870 «Vingt Mille Lieues sous les mers» de Jules Verne

1943 «Le Petit Prince» de Saint-Exupéry
1946 «Paroles» de Prévert

1609 L'Italien Galilée fabrique l'une des premières longues-vues
1752 L'Américain Benjamin Franklin invente le paratonnerre

1800 Invention du train à vapeur
1879 L'Américain Edison met au point l'ampoule électrique
1885 Pasteur trouve le vaccin contre la rage

1903 Invention de l'avion par les frères Wright
1945 Première bombe atomique
1948 Premier ordinateur
1969 L'homme marche sur la lune

1789 Révolution française et élection du premier président américain (George Washington)

1804 Sacre de Napoléon
1861-1865 Guerre de Sécession américaine

1914-1918 Première Guerre mondiale
1917 Révolution russe
1939-1945 Seconde Guerre mondiale

Illustrateurs

Couverture G. Marié.
11 clapet recto C. Broutin.
11 clapet verso h J.-P. Chabot.
19bis hg, hm Fang Shi Cong.
18bis, 19bis b L. Favreau.
16, 17 H. Galeron.
6, 7hm, 7hd, 7bg, 7bm,
7bd, 14 bd, 15 volets
verso D. Grant.
15md J.-M. Guillou.
2, 3 C. Heinrich.
15hg G. Hersant.
15bg T. Hill.
4, 5 G. Houbre.
15hd O. Hubert.
8, 9hg, 9hd, 9bg, 9 clapet
verso J.-M. Kacedan.
20, 21 M. Lagarde.
15mg J.-P. Lange.
9mh, 9mb, 9b, 18hd, 24,
25, 28, 29 G. Marié.
14bg I. Moores.
2e de couv., 12, 13, 14 hm,
14 hd M. Pommier.
15 bd Siena Artworks.
10, 11, 22, 23
et transparent G. Szittya.
7 (colonnes) P.-M. Valat.

**Crédits
photographiques**

2 transparent hg
G. Toordjman.
2 transparent hd Réunion
des musées nationaux, Paris.
4hg Dennis/Sunset, Paris.
7hg et autocollant Ecole
nationale supérieure des
beaux-arts, Paris.
9 clapet recto Dagli Orti,
Paris. 11clapet verso b
Roger-Viollet, Paris. Mise
en couleur de D. Alazraki.
12 h D. R.
13 bg, 13bd (détails)
Osterichische
Nationalbibliotek, Vienne.
15 volets recto
hg A. le Bot/Diaf, Paris.
hd Lewis/Edifice, Londres.
mg G. Gsell/Diaf, Paris.
md A. de Givenchy, Paris.
bg, bd P. Tourenne, Paris.
15 volets verso mg, md
Patrick Léger/Gallimard
Jeunesse, Paris.
15 mg Scala, Florence.
16b M. Courtney-Clark,

Hoa-Qui, Paris.
18, 19 G. de Chabaneix, Paris.
19bis hd Scène extraite du
rouleau illustré Sanjuniban
Shokunin Uta-awase E-maki,
XVIe siècle, Musée national,
Kyôto.
20-21 Frank Leslie's illustrated
Newspaper, 28 avril 1883. D.R.
21 (journal)
1 Frank Leslie's illustrated
Newspaper. Library of
Congress, Washington DC.
2h D.R. 2bg Harper's Weekly,
26 mai 1883. D.R. 2bd D.R.
3h Frank Leslie's illustrated
Newspaper, 26 mai 1883.
D.R. 3m Long Island
Historical Society, E.-U.
3b Frank Leslie's illustrated
Newspaper, 15 octobre 1870.
D.R. 4h Museum of the City
of New York. 4bg Harper's
New Monthly Magazine. D.R.
22hd et autocollant
Fonds Eiffel, RMN, Paris.
23 Collection particulière. D.R.
24 hg L. Hine/George
Eastman House, New York.

24bg Courtesy of the
Colombus University.
25 John Nye/Sir Norman
Foster and Partners, Londres.
26hg The Art Institute of
Chicago.
26hd Hedrich-Blessing/
Chicago Historical Society.
26bd C. Little, New York.
27 (calque) © The Frank
Lloyd Wright Foundation,
Scottsdale, Arizona, 1959.
27 T. Heinz, Evanston, E.-U.
27bg Courtesy of The Frank
Lloyd Wright Foundation,
Scottsdale, Arizona
28hg Dorling Kindersley,
Londres. 28mg W. Rizzo,
Scoop, Paris-Match, Paris.
28bg Sergio Polano, Venise.
29hg T.-R. Clark.
29hd P. Léger/Gallimard
Jeunesse, Paris.
29m Ciments Français, Paris.
29b D. Gilbert, Londres.
30 Museo d'Arte Moderna
e Contemporanea di Trento
e Rovereto, Trente, Italie.
© by Adagp, Paris, 1994.

Remerciements

P. Kalenski, musée
des Matériaux, Centre
recherches des Monum
historiques, Paris.
P.-Y. Lepogam, conserv
du patrimoine, Musée
national du Moyen Age
Paris. M. Moreau,
Bibliothèque du CCI,
Centre G.-Pompidou, P
M. Richer, photothèqu
des Ciments français, P.
Guillemette Andreu,
département des Antiqu
égyptiennes, musée
du Louvre, Paris.
Georges Fontanel.
A. Rose, iconographe,
New York.
R. Townsend, Tusla, E.
The Cherokee National
Historical Society, E.-U
Margo Stipe, Frank Llo
Wright Archives, Scotts
Arizona.
Linda Ziemer, Eileen
Flanagau, Chicago Hist
Society. T.-R. Clark.

Emplacement des autocollants

Loi n° 49-956 du 16 juillet 1949
sur les publications destinées
à la jeunesse.
ISBN : 2-07-058385-6
© Gallimard Jeunesse 1994
Dépôt légal : juin 1994
Numéro d'édition : 67428
Imprimé en Italie,
par la Editoriale Libraria

Titres disponibles dans la même collection :

Série Arts plastiques
L'invention de la peinture
Le travail des sculpteurs

Série Musique et Spectacles
La musique des instruments
Les théâtres du monde

Série Sciences
Le feu, ami ou ennemi
Du big bang à l'électricité
Sur les ailes du vent

Série Nature
Le ciel par-dessus nos têtes
Des forêts et des arbres
Le cinéma

Direction
Pierre Marchand

Ecrit par
Béatrice Fontanel

Iconographie
Isabelle Guillard

Graphisme
David Alazraki
Raymond Stoffel
Catherine le Troquier

**Coordination
illustrateurs**
Anne de Bouchony

Lecture-correction
Pierre Granet,
Catherine Lévine

Conseiller
Michel Ragon

Des architectes

Gustave Eiffel

(1832-1923). «Monstre de tôles boulonnées», «tuyau d'usine en construction», «squelette disgracieux», «suppositoire solitaire»… Voilà comment les contemporains de Gustave Eiffel qualifièrent sa tour de 300 mètres, inaugurée en 1889 pour l'Exposition universelle de Paris. Aujourd'hui, pourtant, la tour Eiffel est devenue le symbole de la capitale et ses 7 300 tonnes de fer accueillent chaque année plus d'un million de visiteurs. Eiffel a commencé sa carrière dans une entreprise d'équipement pour chemins de fer. Ingénieur spécialisé dans les constructions métalliques, il a réalisé en France et à l'étranger une multitude de ponts, halls de gares et viaducs, sans parler des usines, des casinos et des églises.

Imhotep

(vers 2800 avant J.-C.).
Ce ministre du pharaon
Djoser construit, à
Saqqarah, la première
pyramide à degrés,
faite de pierres, alors
que les constructions
précédentes étaient
réalisées en briques
et en bois. Imhotep
fut un grand architecte
mais aussi un sage et
un médecin (la légende
raconte qu'il fut l'auteur
de nombreuses guérisons
miraculeuses). Les livres
qu'il a écrits ont disparu,
ainsi que son tombeau ;
pourtant, son prestige
était si grand qu'il
fut adoré comme
un véritable dieu.

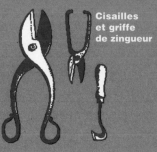

**Cisailles
et griffe
de zingueur**

Le Corbusier

(1887-1965). A 16 ans,
Le Corbusier (de son vrai
nom, Charles-Edouard
Jeanneret) a horreur
de l'architecture. Il veut
devenir peintre. Pourtant,
influencé par son maître
suisse, il entame à 18 ans
une carrière qui fera
de lui l'un des grands
architectes du 20e siècle.
A partir du nom de l'un
de ses ancêtres,
Le Corbésier, et parce
qu'il aime les corbeaux
qu'il croque volontiers
d'un coup de crayon,
il décide de s'appeler
«Le Corbusier», nom
sous lequel il deviendra
célèbre dans le monde
entier. Ce grand voyageur
rêve de maisons simples,
véritables «machines
à habiter», construites
à partir de formes
géométriques. Il utilise
le béton armé de manière
à libérer le plan intérieur
de ses maisons pour créer
des espaces ouverts.
A 30 ans, il s'installe
à Paris et construit
des villas particulières
pour des clients fortunés.
Il réalise aussi de grands
immeubles d'habitations
(la Cité radieuse de
Marseille) et des plans
d'urbanisme.

Ludwig Mies van der Rohe

(1886-1969). Fils d'un maçon allemand, cet architecte apprend les rudiments de la construction avec son père. Il est le premier à concevoir des gratte-ciel à ossature d'acier recouverts d'immenses pans de verre. Son souci de la simplicité et de la perfection apparaît aussi dans le mobilier qu'il crée. A 44 ans, il devient directeur du Bauhaus, célèbre école d'art et d'architecture qui invente un style nouveau. Mais il ne reste en poste que trois ans, car les nazis exigent la fermeture du Bauhaus. Mies émigre alors aux Etats-Unis et prend la nationalité américaine.

Ieoh Ming Pei

(né en 1917). «Le Grand Louvre tiendra la première place dans ma vie d'architecte.» Quand Pei écrit ces mots, la Grande Pyramide du Louvre dresse déjà ses parois de verre translucide dans la cour Napoléon.

Avant d'entreprendre la modernisation du Louvre, Pei était totalement inconnu en France. Pourtant, cet architecte américain d'origine chinoise avait déjà réalisé des édifices grandioses en Asie et en Amérique. Connu pour ses constructions aux formes anguleuses, Pei passe pour l'un des architectes les plus perfectionnistes de son temps. Sur ses chantiers, les ouvriers le considèrent comme un génie de la haute couture !

Phidias

(490-430 avant J.-C.).
Cet Athénien fut l'un des
plus grands sculpteurs
grecs. Le chef d'Etat
Périclès lui confia
les travaux de l'Acropole,
en particulier la direction
du chantier du Parthénon,
grand temple conçu par
les architectes Ictinos et
Callicratès. Accusé par
les ennemis de Périclès
d'avoir volé une partie
de l'or et de l'ivoire
destinés à la réalisation
de la statue colossale
d'Athéna, Phidias
dut s'exiler d'Athènes
et mourut à Olympie.

Frank Lloyd Wright

(1867-1959). Avant
même sa naissance,
sa mère le destinait à
la profession d'architecte
en suspendant dans
sa future chambre
des images de vieilles
cathédrales anglaises.
Ce grand architecte
américain, fou de nature,
crée avec des matériaux
naturels des maisons
qui se glissent dans
leur environnement.
Venu à Chicago en 1887,
il bâtit des villas avec
des toits bas, largement
débordants. Wright les
appelle les «Maisons de
la Prairie», en référence
aux vastes plaines du
Middle West américain.
«La Prairie possède une
beauté qui lui est propre.
Nous devons reconnaître
et accentuer cette beauté
naturelle, son étendue
tranquille.» Il supprime
au maximum les cloisons
intérieures et ouvre ses
bâtiments sur l'extérieur
grâce à des fenêtres très
longues et à de grandes
terrasses. Ses pièces
ne sont pas de simples
boîtes mais des volumes
qui s'imbriquent les uns
dans les autres. Au cours
de son éblouissante
carrière, il a réalisé plus
de 400 œuvres dont
le célèbre musée
Guggenheim de New
York, qui ressemble
à une coquille d'escargot.